Bauernmalerei

Hobbykurs für Anfänger und Fortgeschrittene

D1430281

Ruth Schröder

Bauernmalerei

Hobbykurs für Anfänger und Fortgeschrittene

CIP-Kurztitelaufnahme der Deutschen Bibliothek

Schröder, Ruth:
Bauernmalerei: Hobbykurs für Anfänger und Fortgeschrittene /
Ruth Schröder. – Wiesbaden: Englisch, 1987.
ISBN 3-88140-263-2

Printed in Spain by Egedsa
D.L. B-28.117-87

Die Ratschläge in diesem Buch sind von Autorin und Verlag sorgfältig erwogen und geprüft, dennoch kann eine Garantie nicht übernommen werden. Eine Haftung der Autorin bzw. des Verlages und seiner Beauftragten für Personen-, Sach- und Vermögensschäden ist ausgeschlossen.

Inhaltsverzeichnis

Vorwort

Die Bauernmalerei ist eine alte Volkskunst. Ihre Geschichte geht zurück bis in die Mitte des 17. Jahrhunderts. Damals begannen die Menschen, ihre rohen Holzmöbel mit bunten Motiven zu verschönern. An die Fürstenhöfe bestellte man bekannte Maler, die die Möbel kunstvoll aber teuer bemalten. Viele dieser wunderschönen Schränke und Truhen sind heute noch gut erhalten, und man kann sie bei Besichtigungen von Schlössern und Museen betrachten. Für den Großteil der Bevölkerung waren Malereien von Künstlern natürlich nicht zu bezahlen. Meistens übernahmen daher Tischler diese Arbeit. Sie bemalten das Mobilar ihrer bürgerlichen und bäuerlichen Kundschaft mit bunten Ornamenten und bewiesen dabei oft ein ansehnliches Talent. Jeder hatte dabei seine eigene individuelle Note. In den armen Bauernstuben dagegen hat sich, an den langen Winterabenden, so mancher Bewohner selbst verewigt und sein kärgliches Mobilar mit bunten Motiven bemalt. Eigentlich waren das die ersten Hobbymaler. Die Malereien von Laien waren naiv, aber von ansprechender Schönheit. Motive waren vor allem einheimische Blumen, wie Rosen, Tulpen, Nelken, Margariten, Pfingstrosen usw. Aber auch Früchte und Bilder der vier Jahreszeiten wurden dargestellt. Sogar Liebeserklärungen in Versen und Porträts wurden auf Schränken und Truhen verewigt.
Um die Mitte des vorigen Jahrhunderts ging die Geschichte der Bauernmalerei zu Ende. Die Möbel wurden maschinell schneller und billiger hergestellt. Ein neues Zeitalter hatte begonnen. Handgearbeitete und bemalte Möbel waren nicht mehr gefragt, endeten oft in Speichern und Scheunen und gerieten in Vergessenheit. Vor einigen Jahren, mit Beginn der Nostalgiewelle, erwachte die Vorliebe für alte Schränke, Truhen und alles Handgearbeitete. Die Bauernmalerei erlebte ihre Wiedergeburt.
Als Kontrast zu den heute gefertigten sterilen Anbaumöbeln sind bemalte Stücke eine schmückende Abwechslung.
Ich selbst bin eine begeisterte Hobbymalerin und habe in all den Jahren viele Erfahrungen gesammelt, die ich mit diesem Handbuch an die Leser weitergeben möchte.
Dem Anfänger sollen sie Mut geben zum Neubeginn und dem Fortgeschrittenen weitere Anregungen, sich künstlerisch zu betätigen.
Allen, die sich mit diesem Hobby beschäftigen, wünsche ich viel Freude bei der Arbeit und viel Erfolg.

Ruth Schröder

I. Teil — Anfänger

Was kann bemalt werden?

Es gibt viele Gegenstände, die im Bauernstil bemalt werden können. Lassen Sie sich faszinieren von der Schönheit alter Stücke, an denen Sie Ihre Kreativität zeigen können. Haben Sie erst einmal mit der Bauernmalerei begonnen, werden Sie bald feststellen, daß Sie fast jeden aus Holz bestehenden Gegenstand bemalen können. In Omas Rumpelkammer oder Speicher finden Sie sicher geeignete Stücke, die völlig nutzlos herumliegen und denen Sie durch Pinsel und Farbe zu einer neuen Funktion verhelfen können. Alte Schneidebretter, Omas Teigrolle, Kaffeemühle, Kleiderbügel, Nähkasten, Gewürzbord, Dosen, Truhen, Schemel, Fußbank, Teigschüssel und vieles mehr sind geeignete Objekte. Auf Flohmärkten kann man solche kleinen alten Dinge natürlich auch günstig erstehen. Wie schön, wenn Sie dabei Dinge finden, die Sie mit alten Erinnerungen verbinden. Dann werden Sie besondere Freude daran haben, diese Stücke bunt zu bemalen. Vielleicht erstehen Sie eine alte Milch- oder Sahnekanne, Melkeimer, Weinstütze, Weinkiepe usw. Dies sind Raritäten, die zu besitzen sich lohnt. Der Hobbybauernmaler sieht mit klarem Blick, was daraus zu machen ist. Er wird seine Freude daran haben, es zu verwandeln. Auf Antikmärkten finden Sie gut erhaltene Möbelstücke, von denen sich vieles zum Bemalen eignet. Meistens sind diese Stücke bereits abgelaugt, so daß Ihnen nur die feineren Spachtelarbeiten zufallen.

Möbel, die mit Schnitzereien versehen sind, sollten in ihrem alten Zustand belassen werden, weil sie bunt bemalt oft überladen und kitschig wirken.

Natürlich müssen es nicht unbedingt alte Stücke sein, denen Sie durch Ihren Einfallsreichtum zu neuem Glanz verhelfen. Neue und unbearbeitete Rohholzmöbel sind in speziellen Möbelgeschäften und Möbelboutiquen erhältlich. Dort finden Sie in dem reichhaltigen Angebot bestimmt etwas Geeignetes. In gängigen Bastel- und Hobbyfachgeschäften gibt es ein reichhaltiges Angebot an kleineren Holzrohlingen, angefangen bei Holzbrettchen und Spanschachteln bis hin zur Schirmbütte, zum Butterfaß und Wandschränkchen. Viele Dinge, die vor allem auch dem Anfänger Anregungen zum Gestalten schöner Bemalung geben. In diesen Geschäften erhält man auch viele Malvorlagen, die je nach Verfasser sehr unterschiedlich gestaltet sind. Bestimmt finden Sie auch für Ihren Geschmack etwas, bis Sie selbst in der Lage sind, eigene Motive zu gestalten. In fast jedem Haushalt befinden sich Holzteller, Holzdosen und Schachteln, die vielleicht als Andenken aus dem Urlaub mitgebracht wurden. Häufig weiß man gar nichts damit anzufangen und stellt sie von einem Platz auf den anderen. Überlegen Sie einmal, sicher finden Sie auch so ein Mitbringsel. Wäre das nicht etwas geeignetes, um Ihrem Tatendrang freien Raum zu geben?

Der Arbeitsplatz

Der idealste Arbeitsplatz wäre ein großer Tisch am Fenster im eigenen Hobbyraum, mit Regalen an der Wand, wo alle erstandenen Werkstücke übersichtlich untergebracht sind. Auch die Farben und Werkzeuge lägen immer schon geordnet an ihrem Platz. Ach, wäre das schön, der Traum eines jeden Hobby-Bauernmalers. Leider ist das für die meisten nur ein Wunschtraum.

Suchen Sie sich einen großflächigen und hellen Arbeitsplatz zum Malen. Einen Platz in einem Zimmer, an dem Sie ungestört arbeiten können. Ist es Ihnen aus Zeitgründen nicht möglich, bei Tageslicht zu malen, erwählen Sie sich eine

Arbeitsfläche, wo Sie zwei Spotleuchten anbringen können. Zwei Glühbirnen mit je 60 Watt, direkt auf das Werkstück gerichtet, erfüllen auch ihren Zweck. Die Hauptsache ist, daß die Arbeitsfläche groß genug ist, alle Malutensilien darauf ausbreiten zu können.

Der besondere Rat: Tragen Sie beim Malen immer einen alten Kittel oder eine Schürze. Farbflecke, einmal angetrocknet, lassen sich nicht mehr herauswaschen. Es wäre schade, wenn Sie Ihre Kleidung ruinieren würden.

Werkzeuge zum Malen

1. Pinsel

(Für den Anfang zwei Rotmarderpinsel Nr. 4 und Nr. 6)

Das Hauptwerkzeug des Hobby-Bauernmalers ist der Pinsel. Ihn sollten Sie besonders hegen und pflegen, weil er zu einem großen Teil zum Ergebnis Ihres Malerfolges beiträgt. Stellen Sie sich darauf ein, daß ein Rotmarderpinsel relativ teuer ist. Die Pinselquaste besteht aus den Schwanzhaaren des sibirischen Rotmarders, ist spitz, weich und geschmeidig. Dieses teure Stück bedarf allerdings einer guten Pflege, wenn Sie lange Freude daran haben wollen. Legen Sie den Pinsel niemals ab, wenn noch Farbe daran ist. Dafür haben Sie einen Behälter mit Wasser auf Ihrem Arbeitstisch. Reinigen Sie Ihren Pinsel mit Wasser, streifen ihn an einem Tuch wieder ab und legen ihn hin, wenn Sie für eine kurze Zeit Ihre Malarbeit unterbrechen. Lassen Sie Ihren Pinsel niemals im Wasser stehen! Die Pinselhaare würden sich rundlegen und brechen nach kurzer Zeit. Wenn Sie Ihre Malarbeit beenden, muß der Pinsel mit Seife, es reicht auch ein Spülmittel, ausgewaschen werden. Dann trocknen Sie ihn an einem fusselfreien Lappen und drehen die Pinselhaare zwischen den Fingern wieder spitz. Zum Aufbewahren eig-

Der Arbeitsplatz

net sich am besten die Schutzhülle, die jeder Pinsel beim Kauf besitzt. Ist diese nicht mehr vorhanden, stellen Sie Ihren Pinsel mit der Quaste nach oben in ein leeres Glas. Von Zeit zu Zeit sollten Sie die Pinselquaste nach dem Reinigen mit etwas Vaseline bestreichen und in Form drehen. So gepflegt werden Sie lange Freude an Ihrem teuren Stück haben.

2. Die Farben

Im 17. und 18. Jahrhundert wurden die Farben noch selbst hergestellt. Das war natürlich eine schwierige und zeitraubende Sache. Alle Grundfarben, die dafür benötigt wurden, fand man in der Natur. Pflanzensäfte, Ochsenblut, rote Tonerde, Kienruß und anderes. Als Bindemittel wurde Kaserin verwendet, ein Abfallprodukt aus der Käseherstellung. Heute ist das viel einfacher. Wir malen mit Dispersionsfarben, bezeichnet als Acryl-Farben. Sie allein erlauben die Technik des Malens, die für die Bauernmalerei wie geschaffen ist. Diese Farben sind wasserverdünnbar.

Weitere Werkzeuge:

Bleistift
Zeichentransparent
Bauernmal-Durchpaus- oder Schneiderpapier
Leergeschriebenen Kugelschreiber oder Bleistift mit harter Mine (Zum Durchpausen auf das Werkstück)
Klebeband
Malpalette oder Deckel von Sprudelflaschen
Zwei Wasserbehälter
Fusselfreie Lappen oder Küchenkrepp
Weißer Kreidestift
Schwarzer Kohlestift oder superweicher Bleistift für das Durchpausen des Motives auf hellen Untergrund
Patina
Leinenlappen zum Patinieren.

1. Schritt:

Entwerfen von Blumen

Die Königin der Blumen, die Rose, spielte in der Bauernmalerei schon von jeher eine besondere Rolle. Sie war fast auf allen Motiven vorhanden. Die Tulpe nahm den zweiten Platz ein, aber auch Nelken, Chrysanthemen, Pfingstrosen und Margariten wurden oft und gern gemalt. Entwickelt wurden die Blumen aus Kreisen und Elypsen, wie Sie aus dem Bild „Blumenmuster" ersehen können. Nach diesem Schema können Sie Ihre Muster selbst entwickeln und zu einem Motiv arrangieren. Später, wenn Sie schon etwas geübter sind, werden Sie sicher keine Hilfsmittel mehr benötigen und Ihre Blumen aus freier Hand zeichnen können. Die kleinen Streublümchen, Maiglöckchen, Vergißmeinnicht, Tränende Herzen, Hagebutten usw. bilden die optische Auflockerung zu den großen Blumen. Einige der zarten Blütengebilde sollten in keinem Motiv fehlen.
In die freien Zwischenräume eines Motives kommen die Blätter und Stiele. Sie gehören dazu, runden das Bild ab, sollten aber etwas in den Hintergrund treten. Sie werden schwungvoll gemalt, aber in Form und Farbe nicht unbedingt der Realität entsprechend. Sie können also durchaus dunkelbraun mit ockerfarbigen Lichtern, oder schwarz mit silbergrauen Lichtern gemalt werden.
Besonders anzuraten ist die Farbe Schwarz oder Dunkelbraun für die Blätter auf blauem Untergrund. Auch auf grünem Untergrund sind dunkelbraune Blätter am günstigsten.
Zum Vergrößern oder Verkleinern eines aufgezeichneten Motives kann man einen Pantographen (Storch) gut gebrauchen. Er läßt sich problemlos bedienen. In allen Hobby-Fachgeschäften gibt es aber auch viele fertige Bauernmal-

Entwickeln von Blumen und Malablauf

Blätter und Stiele

Muster verschiedener Herausgeber. Da finden Sie sicher ein hübsches und passendes Motiv. Für den Anfänger ist es zunächst gar nicht so unangebracht, sich eines vorgefertigten Musterbogens zu bedienen. Auf jeden Fall sollten Sie aber lernen, Motive selbst herzustellen.

Neben Blumen werden auch sehr gern Obst-Motive dargestellt. Obst zu malen, ist nicht wesentlich schwieriger als Blumen. Versuchen Sie doch einfach einmal, auf einem Holzbrettchen einen Apfel, eine Birne oder Pflaume zu malen. Das Bild „Äpfel, Birnen und sonstiges Obst" kann Ihnen vielleicht eine Hilfe dazu sein.

Äpfel, Birnen und sonstiges Obst

2. Schritt:

Übertragen des Motives

Das auserkorene Motiv wird zuerst auf ein Stück Zeichentransparent gemalt oder von einem fertigen Motivbogen auf Zeichentransparent übertragen. Dann wird ein gleiches Stück Bauernmal-Durchpauspapier mit der glänzenden Seite auf das Werkstück gelegt, darüber kommt das Transparent-Motiv. Um ein mögliches Verrutschen zu vermeiden, ist es ratsam, den Motivbogen an einigen Stellen mit Klebeband am Werkstück zu befestigen. Nun können Sie das Motiv mit einem spitzen Bleistift mit harter Mine oder einem leergeschriebenen Kugelschreiber auf das Werkstück übertragen.

Bei hellem Untergrund wird das Zeichentransparent mit dem ausgesuchten Motiv mit einem sehr weichen Bleistift oder einem Kohlestift schwarz schraffiert und mit der schwarzen Seite direkt auf das Werkstück gelegt. Das Übertragen des Motives auf das Werkstück geschieht wie schon vorher beschrieben. So kommen die Konturen dunkel zum Vorschein.

Verwenden Sie niemals Kohlepapier oder Blaupapier zum Durchpausen. Sie würden sich Ihr Werkstück ruinieren.

Zum Korrigieren oder Nachtragen vergessener Blüten oder Blätter benutzt man je nach Untergrund einen weißen bzw. braunen Kreidestift.

Durchpausen des Motives auf ein farbiges Werkstück

Durchpausen des Motives auf ein helles Werkstück

3. Schritt:

Die Maltechnik; erste Pinselübungen

Die Maltechnik der Bauernmalerei ist nicht allzu schwer zu erlernen. Obwohl zunächst die Pinselführung und Pinselhaltung ungewohnt ist, gewöhnt man sich mit der Zeit daran.

Zuerst sollten Sie den Pinsel im Wasserglas anfeuchten und am Lappen wieder abstreifen. Dann tauchen Sie die Pinselquaste bis maximal ⅔ in die Farbe ein, setzen den Pinsel steil, fast senkrecht an und stützen die Malhand auf dem linken Handrücken auf. Verwenden Sie für Ihre ersten Übungen am besten ein altes Brettchen. Der Pinsel reagiert auf Druck. Setzen Sie den Pinsel mit Druck an, wird er breit, vermindern Sie den Druck, wird er fein, schmal und spitz.

Es muß immer genug Farbe am Pinsel sein, damit Sie beim Malen den Schwung bis zu Ende durchziehen können. Mißlingt der Versuch, war zu wenig Farbe am Pinsel, dann nochmals in die Farbe eintauchen, von neuem oben ansetzen und den Pinsel durchziehen. Sollte die Farbe zu zäh sein, kann sie mit etwas Wasser verdünnt werden. Beim Malen selbst gibt es zwei Maltechniken. Am bekanntesten ist die Naß-in-Naß-Malerei. Auf Bild (2), Seite 12, können Sie den Ablauf des Malens gut verfolgen. In die noch nasse Farbe auf den Blumen werden die hellen Lichter bzw. dunkleren Schatten aufgesetzt.

Die Zwei- oder Mehrfarbentechnik wird von geübten Bauernmalern viel verwendet. Dabei taucht man den Pinsel in mehrere Farben zugleich ein und malt so, indem die Farben ineinander fließen, Farbe in Farbe. Wenn Sie die erste der beiden Maltechniken beherrschen, können Sie mit dem Malen Ihres ersten Kunst-

Erste Pinselübungen

werkes beginnen. Denken Sie immer daran: Gemalt wird auf dem linken Handrücken, der als Stütze dient und die Malhand ruhig hält. Außerdem können Sie so dem Pinsel den benötigten Schwung geben, ohne absetzen zu müssen.

4. Schritt:

Wir bemalen unser erstes Objekt

Sehr schön, speziell für Anfänger, sind Saftrillenteller aus Teakholz. Sie sind in der Vorbehandlung problemlos und sehen bunt bemalt sehr dekorativ aus. Als erstes nehmen Sie den Saftrillenteller so, daß die Holzmaserung senkrecht verläuft. In die Rille werden oben zwei Löcher von 6 mm Durchmesser gebohrt. Der Abstand der beiden Löcher sollte ca.

1,5 cm betragen. Dann wird die Innenfläche abgeschmirgelt und von Restschmutz und Fett befreit. Die Innenfläche wird nun zweimal mit Bauernmal-Acrylfarbe grundiert. Lassen Sie dabei möglichst den Außenrand unberührt.

Nun kann das Muster durchgepaust werden. Auf buntfarbigem Untergrund erscheint das Muster weiß. Es ist günstig, die Blumen erst einmal mit verdünnter weißer Farbe zu malen, weil einige Farben auf etwas dunklerem Grund schlecht decken, wie z. B. Rot und Goldgelb. Die weiße Farbe deckt den Untergrund gut ab und Ihre Farben kommen schöner und leuchtender zur Geltung. Wichtig ist allerdings, daß Sie schon beim Vormalen mit verdünntem Weiß in der richtigen Pinselrichtung malen. Haben Sie Ihre Blumen weiß vorgemalt, kommen die Blätter, die Sie in der von Ihnen gewählten Farbe malen. Jetzt sehen Sie Ihr Motiv schon plastisch vor sich.

Die typische Pinselhaltung beim Malen

Arbeitsablauf beim Malen eines Saftrillentellers

17

Die Wahl der Farben für die Blumen ist Geschmacksache. Sehr schön sind bunte, kräftige Farben. Aber auch mattere pastellfarbene Töne finden ihre Liebhaber. Haben Sie keine Hemmungen, malen Sie wie es Ihnen gefällt und was Ihnen gefällt. Sehr bald werden Sie, gleich einer Handschrift, Ihren eigenen Stil entwickeln.

Ist Ihr Kunstwerk fertig, kontrollieren Sie nochmals, ob Sie nichts vergessen haben. Nach 3 bis 4 Stunden Trocknen kann nun patiniert werden.

Weiße Striche oder Druckstellen (vom Durchpausen) lassen sich beim Patinieren herauswischen. Keine Bedenken also, wenn nach dem Malen noch irgendwo weiße Konturen zu sehen sind. Etwa 24 Stunden braucht die Patina, bis sie trocken ist. Durch eines der beiden gebohrten Löcher am oberen Rillenrand schieben Sie nun eine etwa 90 cm lange Seidenkordel oder Gardinenschnur von der Rückseite des Tellers durch und am zweiten Loch wieder von vorn zur Rückseite. Beide Enden werden zusammengenäht. Die Rille bekommt einen Film mit Pattex, dann legen Sie die Kordel in die Rille und drücken diese fest ein. Auf der Rückseite bleibt eine Kordelschlaufe, die als Aufhänger dient. Finden Sie nicht auch, daß es eine gute Idee ist? Das ganze ist nicht teuer, sieht aber sehr hübsch aus.

5. Schritt:

Patinieren

Die Patina übt zwei Funktionen aus. Der Hauptgrund des Patinierens besteht darin, die gemalten Motive alt erscheinen zu lassen. Die Farben werden milder und gediegener, kleine Unebenheiten werden verdeckt. Außerdem bildet die Patina einen Schutzfilm über dem gemalten Motiv, ähnlich einer hauchdünnen Lackbeschichtung, läßt Wasserflecken abperlen, hält aber das Holz weich. Sie besteht zum großen Teil aus Leinfirnis.
Der Hobbyhandel bietet verschiedene Patinen speziell für die Bauernmalerei an. Gut sind sie alle. Die Firma Marabu vertreibt eine bereits gefärbte Patina. Sie ist zu empfehlen, wenn Sie eine nur leichte Dunkelfärbung wünschen. Die Patina von Wacofin besteht aus einer Flasche Patina-Öl und einer Tube Umbra. Diese Patina hat den Vorteil, daß Sie den Dunkelgrad des „Altseins" selbst bestimmen können. Es wird immer ein wenig Umbra aus der Tube mit etwas Patina-Öl auf einen fusselfreien Leinenlappen gegeben und das Motiv gleichmäßig damit eingerieben, oder man trägt es mit einem Pinsel auf. Danach reibt man die Patina von der Mitte strahlenartig in Richtung Außenrand mit einem Leinenlappen heraus. Mit dem Ergebnis, daß in den kleinen Vertiefungen von Blüten und Blättern die Patina dunkel stehen bleibt. So bekommt das Bild Tiefe und erhält einen antiken Effekt.

Natürlich kann man die Patina auch gleichmäßig kreisförmig herauswischen. Es bleibt ganz Ihrem Geschmack überlassen.

Der besondere Rat:
Zum Patinieren können Sie auch eine Holzisolierung mit einer Universal-Patina, der Marke „Hobby-Time — dunkelbraun" aus der Tube verwenden. Die Arbeitsweise ist die gleiche wie mit jeder anderen Patina.

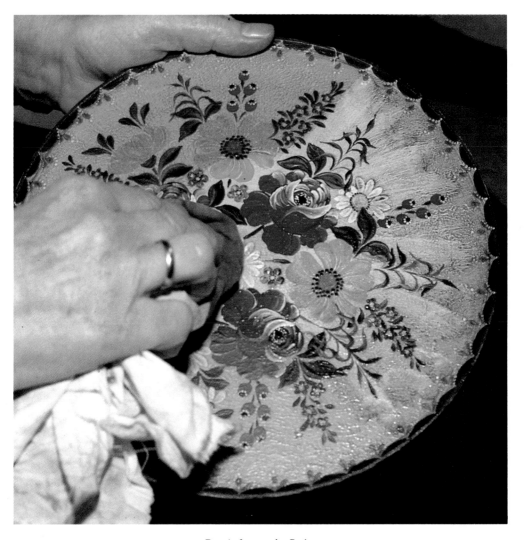

Das Auftragen der Patina

Teil II — Fortgeschrittene

Dem wirklich perfekten und fortgeschrittenen Bauernmaler werde ich sicher nicht allzu viel Neues bringen können. Ohnehin hat mich die Frage sehr beschäftigt, wie und wo die Trennungslinie vom Anfänger zum Fortgeschrittenen zu ziehen ist. In einem Bereich, der sich zur Hobby-Kunst zählt, werden diese Linien „Anfänger" und „Fortgeschrittene" immer fließend sein.

Aus meiner eigenen Erfahrung weiß ich heute, daß ich mit jedem Stück, angefangen vom ersten Teller, den ich bemalt habe, meine Fertigkeiten ständig erweitert und verbessert habe. Ich bin deshalb geneigt zu sagen, daß jeder, der theoretisch die Grundbegriffe der Bauernmalerei erlernt hat und auch praktisch beherrscht, die Stufe des Anfängers erklommen hat. Von diesem wichtigsten

Teller mit Blumenkorb

Ausgangspunkt heraus hat dann jeder einzelne die unendlich vielen Stufen des „Fortgeschrittenen" vor sich. Aus der enormen Fülle der Möglichkeiten, Wahl des Objektes, Zuordnen der Farben, Ausarbeiten der Motive usw. ergeben sich, und dies ist eine der schönsten Feststellungen, immer weitere und neue Stufen des „Fortschrittes" in viele Richtungen. Diese Vielfalt möchte ich Ihnen unter dem nachfolgenden Titel vorstellen:

Kleine Dinge, die Freude bereiten

a) Teller, Schalen, Dosen und Schmuckkästchen

Bemalte Teller sind sehr beliebt. Sie helfen, einen Raum freundlich zu gestalten und lassen sich in Farbe und Motiv sehr schön miteinander kombinieren. Teller und Schalen sollten möglichst als Abschluß ein gemaltes Randmuster erhalten.

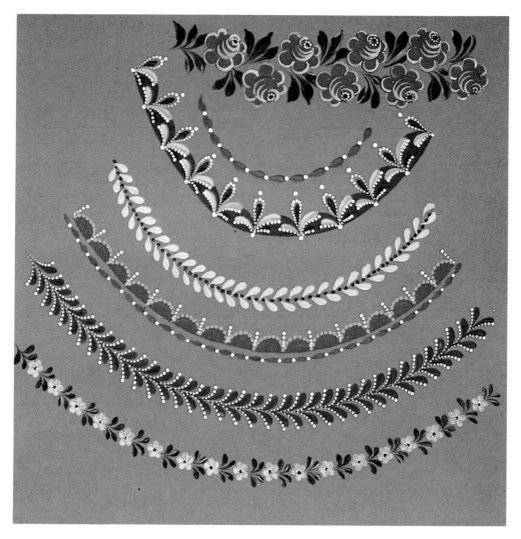

Randmuster für Teller, Schalen, Dosen usw.

Schalenteller von besonders schöner Form

Der besondere Rat:
Randmuster mit weißen Pünktchen wirken sehr schön. Dazu verwendet man am besten einen Zahnstocher. Aber Vorsicht, es ist gar nicht so einfach, die Punkte gleichmäßig aneinanderzusetzen. Es erfordert ein wenig Übung.

Bei diesem Teller sieht man die Wirkung der Patina besonders plastisch. Hier wurde die Grundfarbe in Rosetten gedreht aufgetragen

Sehr ansprechender Teller aus Mahagoni

Natur-Nußbaumholzteller

Teller, die aus edlen Naturhölzern gedrechselt wurden, sind als solche schon besonders wertvoll. Um diesen Wert auch sichtbar zu erhalten, aber auch oft der schönen Maserung wegen, sollten die Motive direkt, also ohne eine Grundfarbe zu verwenden, aufgemalt werden. Im Regelfall aber sind solche Teller durch eine Lasur oder Lackbeschichtung geschützt. Um solche Teller bemalen zu können, ist es Voraussetzung, daß sich die alte Lasur oder Beschichtung problemlos entfernen läßt. Versuchen Sie es mit einem Anlaugmittel oder Spiritus, keinesfalls aber mit Schmirgelpapier. Probieren Sie danach, ob die Farbe stehen bleibt. Läuft sie auseinander, ist es besser, den Teller abzuschleifen und einen farbigen Grundanstrich zu verwenden.

Holzschalen, die für Obst und Gebäck Verwendung finden sollen, bleiben auf die Dauer schön, wenn sie, nachdem die Patina trocken ist, einen Überzug mit Mattlack erhalten.

Schale mit Obstmotiv

Holzschalen mit Ernteblumen-Muster bemalt

Pommersches Paar in Belbucker Tracht

Ringdosen und Nadelkissen

Schöne Schale mit Kerze

Kassette für Schmuck

Kleine Truhe für Briefe oder Schmuck

Ein alter Nähkasten wurde in ein Schmuckstück verwandelt

Alter Zeitungsständer, der sich wegen seiner großen Fläche gut zum Bemalen eignet

Eine Möglichkeit, selbst Bad und Toilette freundlich zu gestalten

Motive wie das „Pommersche Trachtenpaar" erfordern schon ein fortgeschrittenes Maß an Können.

- Dosen und Schmuckkästchen
  Nähkasten
  Zeitungsständer
  Toilettenpapier-Halter

b) Kleiderbügel, Schirmständer, Schlüsselschränkchen für die Flurgarderobe

c) Flaschen, Tonkrüge und Ziegel
Selten geformte Flaschen verleiten den Hobbymaler dazu, diese mit bunten Blumen zu verschönern. Nachdem die Flasche mit Alkohol oder Spiritus von Fett und Fingerabdrücken befreit ist, läßt sich das auch ganz gut machen. Allerdings kann man kein Muster auf- oder durchzeichnen. Man ist also gezwungen, das Motiv frei und direkt aufzumalen.
Wenn Sie einer Flasche einen farbigen Anstrich geben wollen, ist es wichtig, diese nach dem Entfetten mit Rostschutzfarbe vorzustreichen. Nachdem die Farbe trocken ist, wird die Flasche zweimal mit Acrylfarbe gestrichen. Dann läßt sich auch ein Muster mühelos aufpausen. Unlasierte, nur einmal gebrannte Tonkrüge, lassen sich wunderschön bemalen, zumal sie oft recht aparte Formen haben. Überschüssiger Ton am Gefäß wird mit einer Feile geglättet und Unebenheiten mit Feinspachtel bearbeitet. Nach dem Trocknen wird das Gefäß mit Schmirgelpapier abgeschmirgelt, entstaubt und entfettet. Das so bearbeitete Gefäß eignet sich vorzüglich für einen farbigen Grundanstrich. Der noch poröse Ton saugt die Farbe förmlich in sich auf. Nach dem zweiten Anstrich läßt sich der Ton bemalen wie jedes Werkstück aus Holz. Nach zwei Tagen sollte das Gefäß einen letzten Anstrich mit Mattlack erhalten.
Gebrannte Dachziegel (Biberschwanz) lassen sich zu einem dekorativen Wand-

Kleiderbügel für die Flurgarderobe

Runder Schirmständer aus Holz

Schlüsselkasten, praktisch und dekorativ

Flaschen, die mit bemalten Rispen eine hübsche Dekoration sind.

Zwei schöne Amphoren aus gebranntem Ton

35

schmuck für Treppenaufgänge und Fluren verzaubern. Als erstes werden die beiden auf der Rückseite angedeuteten Löcher mit einem Steinbohrer durchbohrt, dann werden die Ziegel weiterbehandelt wie oben unter Tongefäße beschrieben.

d) Bunte Farbtupfer für eine freundliche Küche

Bemalte Eierbecher, Filterbehälter, Gewürzbord, Zwiebelkasten und Halter für Küchenkrepp oder Folie können selbst eine Küche zu einem gemütlichen Raum machen.

Der besondere Rat:
Trotz Dunstabzug setzen sich in der Küche Fett und Staub ab. Ihre bemalten Gegenstände müssen hin und wieder naß abgewischt werden. Darum ist es ratsam, diese Stücke, nachdem die Patina trocken ist, mit Mattlack zu streichen.

Bemalte Biberschwanz-Dachziegel als Wandschmuck für Hausflur und Korridor

Bemalte Einzelstücke für eine wohnliche Küche

Eierbecher-Set mit Dose für Salz

Zusammengehörendes Küchenset aus Naturholz und Abdeckplatte für die Spüle

e) Kleine Geschenke für den Herren
Glauben Sie, daß Männer keine Freude haben an bemalten persönlichen Kleinigkeiten? Irrtum! Gerade die „Herren der Schöpfung" sind es, die besonders gern voller Besitzerstolz ihre kleinen persönlichen Dinge vorzeigen. Sie wissen noch am ehesten Massenprodukte von künstlerischer Handarbeit zu unterscheiden. Machen Sie also dem Mann mit einem Aschenbecher, Korkenzieher, Untersetzer für Gläser und Flasche, Tabakdose oder ähnlichem eine Freude. Ein solches Geschenk kommt immer an.

f) Puppenmöbel
Möbel für das Puppenhaus sind etwas Besonderes. Sie werden feststellen, welche Freude Ihr Töchterchen, Enkel- oder Patenkind daran haben wird. Bausätze gibt es in Hobby-Bastelgeschäften einzeln zu kaufen. So können Sie sich das Mobiliar selbst zusammenstellen.

Der besondere Rat:
Es ist schöner, wenn Sie diese Spielsachen für Kinder nicht dunkel patinieren. Die Nachbehandlung mit Wacofin Patina-Öl reicht aus. Denken Sie daran, Kinder lieben fröhliche und kräftige Farben!

Hübsche Ideen als kleine Geschenke für den Herren

Alte Briefkassette aus Eichenholz

Wohnzimmer-Puppenmöbel mit funktionierender Standuhr

Eine Küche darf im Puppenhaus natürlich nicht fehlen

41

Und noch eine hübsche blaue Wohnküche

Naturholzbrett mit schöner Maserung, gebeizt

Grundanstriche

1. Möglichkeit:
Deckender Grundanstrich

Nach der Vorbehandlung und einer Porenversiegelung mit Nitro-Tiefengrund erfolgen zwei Anstriche mit Acryl-Bauernmalfarbe. Beim zweiten Anstrich gibt es mehrere Möglichkeiten, eine effektvolle Struktur zu erreichen. Einige Beispiele:

a) Farbe satt auftragen und mit dem Pinsel stupfen, solange die Farbe noch naß ist.

b) Die Farbe mit einem Rundpinsel halbkreisförmig zu Rosetten drehen. Dabei den Pinsel steilhalten und eine Rosette an die andere setzen.

c) Farbe auftragen und mit einem Kamm durchziehen.

d) Den zweiten Anstrich in U-Formen auftragen.

Das sind nur einige Beispiele, um eine schöne Tiefenwirkung zu erzielen. Hobbymaler zeigen viel Erfindungsreichtum, etwas auszuprobieren. Wenn das mißlingt, kann man die Farbe ja wieder abschleifen.

Der besondere Rat:
Zum Grundieren größerer Flächen kann man Caparol-Dispersions-Abtönfarben verwenden. Auf gleicher Grundbasis wie Bauernmalfarben sind diese gleich gut. Sie lassen sich untereinander und auch mit Bauernmalfarben mischen und sind wasserverdünnbar. Außerdem sind diese Farben wesentlich preiswerter.

---

2. Möglichkeit:
Beizen

Beizen ist nur bei einwandfreiem Holz ohne verspachtelte Stellen möglich. Die Beize tönt das Holz, die Holzmaserung bleibt erhalten. Sie ist in Pulverform in vielen Holztönen erhältlich. Die Beize wird in heißem Wasser angerührt und mit einem Schwamm oder Pinsel aufgetragen. Die Handhabe mit wasserlöslicher Beize ist unproblematisch. Sollte Ihr gewünschter Holzton zu dunkel geworden sein, was man erst nach dem Eintrocknen der Beize feststellen kann, läßt sich dies mit einem feuchten Schwamm korrigieren. Ist die Beize ganz trocken, sollte das Werkstück mit Isolier-Tiefengrund gestrichen werden. Er bietet dem gebeizten Werkstück Schutz vor Wasserflecken und versiegelt die Poren.

3. Möglichkeit:
Öllasur

Für helle Untergründe eignet sich eine Mischung von 6 Löffeln Terpentinersatz, 3,5 Löffeln Leinöl und $\frac{1}{3}$ Löffel Siccativ. Mit Umbra aus der Tube oder Mixol-Abtönungskonzentrat kann die gewünschte Tönung erreicht werden. In Farbengeschäften gibt es aber auch gebrauchsfertige Holzveredler, von denen sich einige für die Bauernmalerei eignen.

4. Möglichkeit:
Wasserlasur

Nach einer Versiegelung mit Holz-Isolier-Tiefengrund kann man mit einer Mischung aus einem Teil Acryl-Farbe und zwei Teilen Wasser farbig lasieren. Schnell und gleichmäßig aufgetragen ist die Wirkung wie beim Beizen.

Der besondere Rat:
Wenn Sie mit Nitro-Tiefengrund arbeiten, dann tun Sie das möglichst im Freien oder aber bei weit geöffnetem Fenster. Beim Streichen entwickeln sich gesundheitsschädliche Dämpfe. Ein unangenehmer Geruch bildet sich. Der Trocknungsprozeß ist kurz und die Dämpfe verfliegen schnell.

Alle Anstriche sollten bei einer Raumtemperatur von ca. 20 Grad erfolgen, Sie erzielen dann einen normalen Trockenprozeß. Beim Anstrich sollte beachtet werden, daß der Pinsel ganz sauber ist. Bei nicht richtig gereinigtem Pinsel sind oft noch Farb- und Lackreste vorhanden.

Im Motiv dargestellte Gefäße und Umrandungen

Die Geschichte der Bauernmalerei zeigt, daß Blumen oft in Gefäßen stehend gemalt wurden. Vasen, Krüge und Amphoren, Füllhörner und Körbchen in den verschiedensten Ausführungen zeigen uns heute noch die Vielfalt der Ideen, die man damals, dem Stil entsprechend, in das Motiv einbezog. Zumindest band man einen Blumenstrauß mit einer farblich zum Bild passenden Schleife zusammen.

Gefäße und Körbchen sollten im Stil passen, aber ebenso wie die Blätter farblich etwas zurückstehen. Um das eigentliche Blumenmotiv nicht zu erschlagen, sollten sie eine neutrale Farbe erhalten.

Musterbild Körbe und Gefäße

Bei größeren Malflächen wie Schranktüren, Deckplatten von Kommoden und Truhen läßt man die Motive nicht allein im Feld stehen. Man umgrenzt sie mit Schnörkeln oder Muscheln. Die Schnörkel sollten früher einmal die Eisenbeschläge imitieren. Schnörkel und Muscheln werden immer mit verdünnter weißer Farbe vorgemalt, bevor sie den gewünschten Farbton erhalten. Auch deckende Farben bei Muscheln und Schnörkeln müssen etwas verdünnt verwendet werden. Sie sind nicht gerade einfach zu malen, da der Pinsel vom Anfang bis zur Endspitze mit einem Pinselstrich durchgezogen werden soll. Zu beachten ist die Einfügung eines zweiten Schnörkelbogens in den Hauptschnörkel.

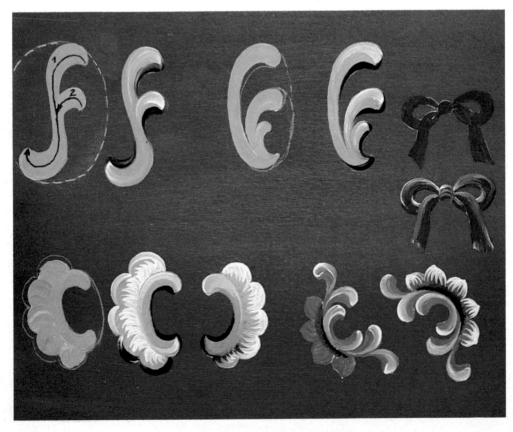

Musterbild Schnörkel, Muscheln und Schleifen

Wo es zum Motiv paßt, reicht ein einfacher, um das Bild gezogener Streifen oder eine Ranke von kleinen Blüten und Blättern. Bei Möbelstücken mit eingearbeiteten Kassetten sollte man von gemalten Randornamenten absehen. Die Kassetten wirken für sich. Lediglich die Kassette selbst, die das Motiv trägt, sollte einen Ton heller grundiert werden.

Schranktür mit heller Kassette

Vorbehandlung
neuer und alter Möbel

1. Unbehandeltes Rohholz

Bevor der Grundanstrich angelegt werden kann, müssen auch neue Weichholzmöbel erst von Fett und Schmutz gereinigt werden. Am günstigsten geschieht das mit einer Salmiak-Warmwasserlösung, Spiritus oder einem Anlaugmittel, das mit dem Pinsel oder Schwamm aufgetragen und dann mit einem saugstarken, fusselfreien Lappen abgerieben wird. Das rohe Holz saugt die Nässe schnell auf, dadurch stellen sich die Holzfasern. Ist das Werkstück trocken, wird es mit feinem Schmirgelpapier geschliffen und mit einem trockenen, sauberen Pinsel entstaubt.

2. Vorbehandeltes und bearbeitetes Holz

Bei alten Möbeln müssen Wachs, Farbanstriche oder Lackbeschichtungen entfernt werden. Werkstücke mit Farbanstrich, bei denen oft mehrere Farbschichten übereinanderliegen, bearbeitet man am besten mit einem Abbeizmittel, das in jedem Farbengeschäft erhältlich ist. Ist die Farbe aufgeweicht, muß sie mit einer Spachtel vorsichtig entfernt werden. Anschließend muß das Werkstück mit Seifenwasser abgewaschen werden, damit alle Reste des Abbeizmittels entfernt werden.

Der besondere Rat:
Tragen Sie immer Schutzhandschuhe beim Arbeiten mit einem Abbeizmittel. Es darf wegen seiner ätzenden Wirkung nicht mit der Haut in Berührung kommen.

Besser und leichter lassen sich alte Farbanstriche mit einem Heißluft-Gebläse entfernen. Dieses Gerät ist eine große Hilfe für den Heimwerker. Farben und Lackbeschichtungen lassen sich mühelos mit einer Spachtel abziehen, ohne das Holz zu beschädigen.

Anschließend wird das Werkstück abgeschmirgelt (Körnung 120 bis 180), der Holzstaub entfernt und mit Spiritus gereinigt.

Alte Stücke wie Schränke, Truhen und Kommoden sind oft beschädigt oder haben Risse. Unebenheiten und Löcher werden mit Holz-Feinspachtel bearbeitet. Bei Rissen und gesplitterten Teilen müssen entsprechend zugeschnittene Holzstücke oder Holzspäne eingepaßt und mit Holzleim verklebt werden. Bei Wurmbefall wird das Holz mit einem Mittel gegen den Holzwurm, das in Drogerien und Farbengeschäften erhältlich ist, behandelt. Erst danach wird die Holzoberfläche gespachtelt. Nachdem die ausgebesserten Stellen ganz trocken sind, wird mit Schmirgelpapier glatt geschliffen, entstaubt und mit Spiritus gereinigt. Holz lebt, es arbeitet immer, ganz gleich, wie alt es ist. Um die Holzporen zu verschließen, sollte nun mit Holz-Isolier-Tiefengrund satt gestrichen werden. Wenn nötig, nach dem Trocknen nochmals leicht überschleifen und entstauben. Dann kann der Grundanstrich erfolgen.

Werkzeuge
zur Holz-Restaurierung

Sie werden feststellen, daß es Ihnen Spaß machen wird, aus einem alten reparaturbedürftigen Stück wieder eine wertvolle Rarität zu zaubern. Was Sie dazu immer brauchen, ist:
Eine Spachtel und ein rundes Messer
Stechbeitel
Raspel und Holzfeile
Drahtbürste
Hammer
Bohrer oder Bohrmaschine
Kleine Eisensäge
Schraubenzieher
Holzleim
Holzspachtelkitt
Salmiakgeist und Spiritus
Rund- und Flachborstenpinsel

Massiver, alter Schrank während der Vorarbeiten. Die Schranktüren sind bemalt, aber noch nicht patiniert.

49

Schwamm oder saugfähiger Lappen
Sandpapier (verschiedene Körnungen)
Ggf. ein Heißluft-Gebläse

Schränke, Truhen und Kommoden

Erst wenn Sie sich ausreichende Fertigkeiten angeeignet haben, sollten Sie sich an größere Stücke wie Truhen, Kommoden und Schränke heranwagen. Es sind ja schließlich wertvolle Objekte, an denen man länger als eine Generation lang Freude haben soll. Für solche Möbelstücke werden Sie die Motive meist selbst zusammenstellen müssen, da jedes Stück anders ist. Bei zweitürigen Schränken beachten Sie bitte, daß das Motivmuster auf der zweiten Tür seitenverkehrt aufgezeichnet wird.

Viele alten Schränke sind kompakt, lassen sich nicht auseinandernehmen und sind oft zu schwer, um sie auf Böcke legen zu können. In solchen Fällen wird man diese Stücke am besten aufgestellt bemalen. Damit die Farben nicht verwischen, hat sich ein Malstock bewährt. Er ist eine gute Hilfe und wird an Malschulen viel benutzt.

Schrank mit hellen Kassetten

Läßt sich der Schrank umlegen und die Türen aushängen, ist das Arbeiten leichter. Aber wegen der großen Flächen wird als Malhilfe und Stütze für die Hand eine Malbrücke gebraucht. Diese können Sie leicht selbst herstellen. Man nimmt dazu zwei gleich starke Bücher, die rechts und links neben das zu bemalende Motiv gelegt werden. Mit einem Lineal darüber wird die Brücke als Stütze und Hilfe für die Malhand gebildet.

Ein vollendetes Bild bei Truhen mit abgerundetem Deckel gibt die Einrahmung mit Schnörkeln.

Bei der Kommode liegt das Hauptaugenmerk auf der Deckplatte. Seitenteile und vor allem die Schubkästen sollten etwas sparsamer bemalt werden, damit die gesamte Front nicht unruhig wirkt.

Alle Möbelstücke sollten abschließend mit Mattlack gestrichen werden.

Sehr schöne alte Truhe mit abgerundetem Deckel, Schnörkel-Einrahmung und imitierten Fensterbögen

Eine sehr alte, ehemalige Handwerker-Koffertruhe, restauriert und bemalt

Kleine Truhe für Nähzeug

53

Diese alte Kommode ist ein richtiges Schmuckstück geworden

Milchkannen, Schirmständer und Krüge

Alle Gegenstände aus Metall bedürfen einer besonderen Behandlung. Das gilt ebenfalls auch für Stücke mit Emaille-Beschichtung. Rost muß sauber abgeschliffen und danach aller Roststaub entfernt werden. Beschädigungen und kleine Löcher werden mit Metall-Spachtel ausgebessert. Danach wird der Rohling mit einem flüssigen Entroster oder Alkohol abgerieben. Nun erfolgt ein Anstrich mit Rostschutz-Grund. Dies ist wichtig, um erneutes Rosten zu verhindern, aber auch, weil sonst der Deckanstrich mit Acrylfarbe nicht haften würde. Es sind mindestens zwei Deckanstriche erforderlich, bevor das Motiv aufgepaust wird. Nach dem Bemalen und Patinieren sollten alle diese Stücke mit Mattlack gestrichen werden. Ein besonders schönes, fast einmaliges Stück ist dieser Schirmständer aus Messing. Er steht in einer weißgehaltenen Diele und ist der Stolz der Hausherrin.

Ehemalige Fußbadewanne, zum Unterbringen von Stricknadeln und Wolle

Alte, schwere Milchkanne

Eine alte Kinderweinkiepe, ein Stück für Liebhaber

Alte Wasserkanne

Alte deutsche und bulgarische Wasserkanne

Schirmständer aus Messing

Schöne Milchkanne

Allgemeine Hinweise über Endbehandlung und Pflege

Zum Schluß möchte ich auf die Endbehandlung und Pflege bemalter Gegenstände eingehen. Alle Möbel und Stücke aus Metall wie Milchkannen usw. sollten eine Lackbeschichtung bekommen. Nur so sind sie auf Dauer geschützt und bleiben gut erhalten. Am besten eignet sich dazu ein Kunstharz-Mattlack. Benutzen Sie auf keinen Fall einen nitrohaltigen Lack, denn dieser würde die Acrylfarben auflösen. Zur Pflege aller bemalten Möbel und Gegenstände ist die Behandlung mit Antik-Bienenwachs zu empfehlen.

Vor allem im Küchenbereich, wo sich durch Kochdunst meist öliger Staub festsetzt, ist nach dem Reinigen eine Wachspflege angebracht.

So gepflegt werden Sie an ihren gemalten Kostbarkeiten lange Freude haben.

Schlußwort:

Mit diesem Buch will ich neben den Arbeitsanleitungen aufzeigen, welche vielfältigen Möglichkeiten die Bauernmalerei besitzt. Die in den Fotos gezeigten Stücke, Motive und Farbzusammenstellungen sind nur ein kleiner Teil der vielen Dinge, die zu bemalen, sich im Laufe der Zeit ergeben haben. Es sind ausschließlich eigene Entwürfe.

Als ich vor Jahren psychisch ziemlich angegriffen war, begann ich zu malen. Alle meine Sorgen malte ich in diese bunten Blumenornamente hinein. Das Ergebnis war überraschend schön. Durch die Malerei wurde ich wieder ausgeglichener und ruhiger. Es entstanden wunderschöne Stücke, von denen auch meine Kinder und Enkelkinder viele besitzen. Sie haben alle viel Freude daran. So habe ich ein doppeltes Ergebnis erzielt.